DAY PLANNER

M T W Th F Sa Su

To Do

- _____
- _____
- _____
- _____
- _____
- _____
- _____
- _____
- _____
- _____
- _____
- _____
- _____

Enthusiastic for

Appointments

- _____
- _____
- _____
- _____

Breakfast	Lunch	Dinner	Snack

Fitness	Mood

DAY PLANNER

Date: _____

M T W Th F Sa Su

To Do

Priorities

Enthusiastic for

Appointments

Breakfast	Lunch	Dinner	Snack

Fitness	Mood

DAY PLANNER

Date: _____

M T W Th F Sa Su

To Do

- _____
- _____
- _____
- _____
- _____
- _____
- _____
- _____
- _____
- _____
- _____
- _____
- _____
- _____

Priorities

Enthusiastic for

Appointments

- _____
- _____
- _____
- _____

Breakfast	Lunch	Dinner	Snack

Fitness	Mood

DAY PLANNER

Date: _____

M T W Th F Sa Su

To Do

- _____
- _____
- _____
- _____
- _____
- _____
- _____
- _____
- _____
- _____
- _____
- _____
- _____
- _____

Priorities

Enthusiastic for

Appointments

- _____
- _____
- _____
- _____
- _____

Breakfast	Lunch	Dinner	Snack

Fitness	Mood

DAY PLANNER

Date: _____

M T W Th F Sa Su

To Do

-
-
-
-
-
-
-
-
-
-
-
-
-

Priorities

Enthusiastic for

Appointments

-
-
-
-

Breakfast	Lunch	Dinner	Snack

Fitness	Mood

DAY PLANNER

Date: _____

M T W Th F Sa Su

To Do

-
-
-
-
-
-
-
-
-
-
-
-
-
-

Priorities

Enthusiastic for

Appointments

-
-
-

Breakfast	Lunch	Dinner	Snack

Fitness	Mood

DAY PLANNER

Date: _____

M T W Th F Sa Su

To Do

- _____
- _____
- _____
- _____
- _____
- _____
- _____
- _____
- _____
- _____
- _____
- _____
- _____
- _____

Priorities

Enthusiastic for

Appointments

- _____
- _____
- _____
- _____

Breakfast	Lunch	Dinner	Snack

Fitness	Mood

DAY PLANNER

Date: _____

M T W Th F Sa Su

To Do

- _____
- _____
- _____
- _____
- _____
- _____
- _____
- _____
- _____
- _____
- _____
- _____
- _____
- _____

Priorities

Enthusiastic for

Appointments

- _____
- _____
- _____
- _____
- _____

Breakfast

Lunch

Dinner

Snack

Fitness

Mood

DAY PLANNER

Date: _____

M T W Th F Sa Su

To Do

- [ ] _____
- [ ] _____
- [ ] _____
- [ ] _____
- [ ] _____
- [ ] _____
- [ ] _____
- [ ] _____
- [ ] _____
- [ ] _____
- [ ] _____
- [ ] _____
- [ ] _____

Priorities

Enthusiastic for

Appointments

- [ ] _____
- [ ] _____
- [ ] _____
- [ ] _____

Breakfast

Lunch

Dinner

Snack

Fitness

Mood

DAY PLANNER

Date: _____

(M) (T) (W) (Th) (F) (Sa) (Su)

To Do

Priorities

Enthusiastic for

Appointments

Breakfast	Lunch	Dinner	Snack

Fitness	Mood

DAY PLANNER

Date: _____

M T W Th F Sa Su

To Do

- _____
- _____
- _____
- _____
- _____
- _____
- _____
- _____
- _____
- _____
- _____
- _____
- _____
- _____

Priorities

Enthusiastic for

Appointments

- _____
- _____
- _____
- _____
- _____

Breakfast	Lunch	Dinner	Snack

Fitness

Mood

DAY PLANNER

Date: _____

M T W Th F Sa Su

To Do

Priorities

Enthusiastic for

Appointments

Breakfast	Lunch	Dinner	Snack

Fitness	Mood

DAY PLANNER

Date: _____

(M) (T) (W) (Th) (F) (Sa) (Su)

To Do

- _____
- _____
- _____
- _____
- _____
- _____
- _____
- _____
- _____
- _____
- _____
- _____
- _____

Priorities

Enthusiastic for

Appointments

- _____
- _____
- _____
- _____
- _____

Breakfast	Lunch	Dinner	Snack

Fitness	Mood

DAY PLANNER

Date: _____

(M) (T) (W) (Th) (F) (Sa) (Su)

To Do

- _____
- _____
- _____
- _____
- _____
- _____
- _____
- _____
- _____
- _____
- _____
- _____
- _____

Priorities

Enthusiastic for

Appointments

- _____
- _____
- _____
- _____
- _____

Breakfast

Lunch

Dinner

Snack

Fitness

Mood

DAY PLANNER

Date: _____

M T W Th F Sa Su

To Do

-
-
-
-
-
-
-
-
-
-
-
-
-
-

Priorities

Enthusiastic for

Appointments

-
-
-
-

Breakfast

Lunch

Dinner

Snack

Fitness

Mood

DAY PLANNER

Date: _____

(M) (T) (W) (Th) (F) (Sa) (Su)

To Do

Priorities

Enthusiastic for

Appointments

Breakfast

Lunch

Dinner

Snack

Fitness

Mood

DAY PLANNER

Date: _____

M T W Th F Sa Su

To Do

- _____
- _____
- _____
- _____
- _____
- _____
- _____
- _____
- _____
- _____
- _____
- _____
- _____

Priorities

Enthusiastic for

Appointments

- _____
- _____
- _____
- _____
- _____

Breakfast	Lunch	Dinner	Snack

Fitness	Mood

DAY PLANNER

Date: _____

M T W Th F Sa Su

To Do

- _____
- _____
- _____
- _____
- _____
- _____
- _____
- _____
- _____
- _____
- _____
- _____
- _____
- _____

Priorities

Enthusiastic for

Appointments

- _____
- _____
- _____
- _____

Breakfast	Lunch	Dinner	Snack

Fitness	Mood

DAY PLANNER

Date: _____

M T W Th F Sa Su

To Do

Priorities

Enthusiastic for

Appointments

Breakfast

Lunch

Dinner

Snack

Fitness

Mood

DAY PLANNER

Date: _____

M T W Th F Sa Su

To Do

Priorities

Enthusiastic for

Appointments

Breakfast

Lunch

Dinner

Snack

Fitness

Mood

DAY PLANNER

Date: _____

(M) (T) (W) (Th) (F) (Sa) (Su)

To Do

- _____
- _____
- _____
- _____
- _____
- _____
- _____
- _____
- _____
- _____
- _____
- _____
- _____

Priorities

Enthusiastic for

Appointments

- _____
- _____
- _____
- _____

Breakfast	Lunch	Dinner	Snack

Fitness	Mood

DAY PLANNER

Date: _____

M T W Th F Sa Su

To Do

Priorities

Enthusiastic for

Appointments

Breakfast

Lunch

Dinner

Snack

Fitness

Mood

DAY PLANNER

Date: _____

M T W Th F Sa Su

To Do

- _____
- _____
- _____
- _____
- _____
- _____
- _____
- _____
- _____
- _____
- _____
- _____
- _____

Priorities

Enthusiastic for

Appointments

- _____
- _____
- _____
- _____

Breakfast

Lunch

Dinner

Snack

Fitness

Mood

DAY PLANNER

Date: _____

M T W Th F Sa Su

To Do

Priorities

Enthusiastic for

Appointments

Breakfast

Lunch

Dinner

Snack

Fitness

Mood

DAY PLANNER

Date: _____

M T W Th F Sa Su

To Do

- _____
- _____
- _____
- _____
- _____
- _____
- _____
- _____
- _____
- _____
- _____
- _____
- _____

Priorities

Enthusiastic for

Appointments

- _____
- _____
- _____
- _____

Breakfast

Lunch

Dinner

Snack

Fitness

Mood

DAY PLANNER

Date: _____

M T W Th F Sa Su

To Do

☐ _____
☐ _____
☐ _____
☐ _____
☐ _____
☐ _____
☐ _____
☐ _____
☐ _____
☐ _____
☐ _____
☐ _____
☐ _____
☐ _____

Priorities

Enthusiastic for

Appointments

☐ _____
☐ _____
☐ _____
☐ _____

Breakfast	Lunch	Dinner	Snack

Fitness

Mood

DAY PLANNER

Date: _____

M T W Th F Sa Su

To Do

- _____
- _____
- _____
- _____
- _____
- _____
- _____
- _____
- _____
- _____
- _____
- _____
- _____
- _____

Priorities

Enthusiastic for

Appointments

- _____
- _____
- _____
- _____
- _____

Breakfast	Lunch	Dinner	Snack

Fitness	Mood

DAY PLANNER

Date: _____

M T W Th F Sa Su

To Do

Priorities

Enthusiastic for

Appointments

Breakfast

Lunch

Dinner

Snack

Fitness

Mood

DAY PLANNER

Date: _____

M T W Th F Sa Su

To Do

- _____
- _____
- _____
- _____
- _____
- _____
- _____
- _____
- _____
- _____
- _____
- _____
- _____

Priorities

Enthusiastic for

Appointments

- _____
- _____
- _____
- _____

Breakfast

Lunch

Dinner

Snack

Fitness

Mood

DAY PLANNER

Date: _____

M T W Th F Sa Su

To Do

-
-
-
-
-
-
-
-
-
-
-
-
-
-

Priorities

Enthusiastic for

Appointments

-
-
-
-

Breakfast	Lunch	Dinner	Snack

Fitness	Mood

DAY PLANNER

Date: _____

M T W Th F Sa Su

To Do

- _____
- _____
- _____
- _____
- _____
- _____
- _____
- _____
- _____
- _____
- _____
- _____
- _____
- _____

Priorities

Enthusiastic for

Appointments

- _____
- _____
- _____
- _____
- _____

Breakfast

Lunch

Dinner

Snack

Fitness

Mood

DAY PLANNER

Date: _____

M T W Th F Sa Su

To Do

-
-
-
-
-
-
-
-
-
-
-
-
-
-

Priorities

Enthusiastic for

Appointments

-
-
-
-

Breakfast	Lunch	Dinner	Snack

Fitness	Mood

DAY PLANNER

Date: _____

(M) (T) (W) (Th) (F) (Sa) (Su)

To Do

☐ _____
☐ _____
☐ _____
☐ _____
☐ _____
☐ _____
☐ _____
☐ _____
☐ _____
☐ _____
☐ _____
☐ _____
☐ _____
☐ _____

Priorities

Enthusiastic for

Appointments

☐ _____
☐ _____
☐ _____
☐ _____

Breakfast	Lunch	Dinner	Snack

Fitness	Mood

DAY PLANNER

Date: _____

M T W Th F Sa Su

To Do

Priorities

Enthusiastic for

Appointments

Breakfast	Lunch	Dinner	Snack

Fitness	Mood

DAY PLANNER

Date: _____

M T W Th F Sa Su

To Do

-
-
-
-
-
-
-
-
-
-
-
-
-

Priorities

Enthusiastic for

Appointments

-
-
-
-

Breakfast	Lunch	Dinner	Snack

Fitness	Mood

DAY PLANNER

Date: _____

M T W Th F Sa Su

To Do

- [ ] _____
- [ ] _____
- [ ] _____
- [ ] _____
- [ ] _____
- [ ] _____
- [ ] _____
- [ ] _____
- [ ] _____
- [ ] _____
- [ ] _____
- [ ] _____
- [ ] _____
- [ ] _____

Priorities

Enthusiastic for

Appointments

- [ ] _____
- [ ] _____
- [ ] _____
- [ ] _____
- [ ] _____

Breakfast	Lunch	Dinner	Snack

Fitness	Mood

DAY PLANNER

Date: _____

M T W Th F Sa Su

To Do

- _____
- _____
- _____
- _____
- _____
- _____
- _____
- _____
- _____
- _____
- _____
- _____
- _____
- _____

Priorities

Enthusiastic for

Appointments

- _____
- _____
- _____
- _____
- _____

Breakfast

Lunch

Dinner

Snack

Fitness

Mood

DAY PLANNER

Date: _____

(M) (T) (W) (Th) (F) (Sa) (Su)

To Do

Priorities

Enthusiastic for

Appointments

Breakfast	Lunch	Dinner	Snack

Fitness	Mood

DAY PLANNER

Date: _____

M T W Th F Sa Su

To Do

-
-
-
-
-
-
-
-
-
-
-
-
-
-

Priorities

Enthusiastic for

Appointments

-
-
-

Breakfast	Lunch	Dinner	Snack

Fitness	Mood

DAY PLANNER

Date: _____

M T W Th F Sa Su

To Do

-
-
-
-
-
-
-
-
-
-
-
-
-
-

Priorities

Enthusiastic for

Appointments

-
-
-

Breakfast	Lunch	Dinner	Snack

Fitness	Mood

DAY PLANNER

Date: _____

M T W Th F Sa Su

To Do

- _____
- _____
- _____
- _____
- _____
- _____
- _____
- _____
- _____
- _____
- _____
- _____
- _____
- _____

Priorities

Enthusiastic for

Appointments

- _____
- _____
- _____
- _____

Breakfast	Lunch	Dinner	Snack

Fitness	Mood

DAY PLANNER

Date: _____

M T W Th F Sa Su

To Do

Priorities

Enthusiastic for

Appointments

Breakfast

Lunch

Dinner

Snack

Fitness

Mood

DAY PLANNER

Date: _____

M   T   W   Th   F   Sa   Su

To Do

-
-
-
-
-
-
-
-
-
-
-
-
-

Priorities

Enthusiastic for

Appointments

-
-
-
-

Breakfast	Lunch	Dinner	Snack

Fitness	Mood

DAY PLANNER

Date: _____

M T W Th F Sa Su

To Do

-
-
-
-
-
-
-
-
-
-
-
-
-
-

Priorities

Enthusiastic for

Appointments

-
-
-
-
-

Breakfast	Lunch	Dinner	Snack

Fitness	Mood

DAY PLANNER

Date: _____

M T W Th F Sa Su

To Do

- _____
- _____
- _____
- _____
- _____
- _____
- _____
- _____
- _____
- _____
- _____
- _____
- _____
- _____

Priorities

Enthusiastic for

Appointments

- _____
- _____
- _____
- _____

Breakfast	Lunch	Dinner	Snack

Fitness	Mood

DAY PLANNER

Date: _____

M T W Th F Sa Su

To Do

Priorities

Enthusiastic for

Appointments

Breakfast	Lunch	Dinner	Snack

Fitness	Mood

DAY PLANNER

Date: _____

M T W Th F Sa Su

To Do

- _____
- _____
- _____
- _____
- _____
- _____
- _____
- _____
- _____
- _____
- _____
- _____
- _____

Priorities

Enthusiastic for

Appointments

- _____
- _____
- _____
- _____

Breakfast

Lunch

Dinner

Snack

Fitness

Mood

DAY PLANNER

Date: _____

M T W Th F Sa Su

To Do

Priorities

Enthusiastic for

Appointments

Breakfast

Lunch

Dinner

Snack

Fitness

Mood

DAY PLANNER

Date: _____

M T W Th F Sa Su

To Do

- _____
- _____
- _____
- _____
- _____
- _____
- _____
- _____
- _____
- _____
- _____
- _____
- _____
- _____

Priorities

Enthusiastic for

Appointments

- _____
- _____
- _____
- _____

Breakfast

Lunch

Dinner

Snack

Fitness

Mood

DAY PLANNER

Date: _____

M T W Th F Sa Su

To Do

- _____
- _____
- _____
- _____
- _____
- _____
- _____
- _____
- _____
- _____
- _____
- _____
- _____
- _____

Priorities

Enthusiastic for

Appointments

- _____
- _____
- _____
- _____
- _____

Breakfast

Lunch

Dinner

Snack

Fitness

Mood

DAY PLANNER

Date: _____

M T W Th F Sa Su

To Do

-
-
-
-
-
-
-
-
-
-
-
-
-
-

Priorities

Enthusiastic for

Appointments

-
-
-
-
-

Breakfast	Lunch	Dinner	Snack

Fitness	Mood

DAY PLANNER

Date: _____

M T W Th F Sa Su

To Do

Priorities

Enthusiastic for

Appointments

Breakfast	Lunch	Dinner	Snack

Fitness	Mood

DAY PLANNER

Date: _____

M T W Th F Sa Su

To Do

-
-
-
-
-
-
-
-
-
-
-
-
-
-

Priorities

Enthusiastic for

Appointments

-
-
-

Breakfast	Lunch	Dinner	Snack

Fitness	Mood

DAY PLANNER

Date: _____

M T W Th F Sa Su

To Do

-
-
-
-
-
-
-
-
-
-
-
-
-

Priorities

Enthusiastic for

Appointments

-
-
-
-

Breakfast	Lunch	Dinner	Snack

Fitness	Mood

DAY PLANNER

Date: _____

M T W Th F Sa Su

To Do

-
-
-
-
-
-
-
-
-
-
-
-
-

Priorities

Enthusiastic for

Appointments

-
-
-
-

Breakfast	Lunch	Dinner	Snack

Fitness	Mood

DAY PLANNER

Date: _____

M T W Th F Sa Su

To Do

-
-
-
-
-
-
-
-
-
-
-
-
-

Priorities

Enthusiastic for

Appointments

-
-
-
-

Breakfast	Lunch	Dinner	Snack

Fitness	Mood

DAY PLANNER

Date: _____

M T W Th F Sa Su

To Do

Priorities

Enthusiastic for

Appointments

Breakfast

Lunch

Dinner

Snack

Fitness

Mood

DAY PLANNER

Date: _____

M T W Th F Sa Su

To Do

Priorities

Enthusiastic for

Appointments

Breakfast

Lunch

Dinner

Snack

Fitness

Mood

DAY PLANNER

Date: _____

M T W Th F Sa Su

To Do

- _____
- _____
- _____
- _____
- _____
- _____
- _____
- _____
- _____
- _____
- _____
- _____
- _____

Priorities

Enthusiastic for

Appointments

- _____
- _____
- _____
- _____

Breakfast

Lunch

Dinner

Snack

Fitness

Mood

DAY PLANNER

Date: _____

M T W Th F Sa Su

To Do

-
-
-
-
-
-
-
-
-
-
-
-
-
-

Priorities

Enthusiastic for

Appointments

-
-
-
-

Breakfast	Lunch	Dinner	Snack

Fitness	Mood

DAY PLANNER

Date: _____

M   T   W   Th   F   Sa   Su

To Do

-
-
-
-
-
-
-
-
-
-
-
-
-
-

Priorities

Enthusiastic for

Appointments

-
-
-
-

Breakfast	Lunch	Dinner	Snack

Fitness	Mood

DAY PLANNER

Date: _____

M   T   W   Th   F   Sa   Su

To Do

Priorities

Enthusiastic for

Appointments

Breakfast

Lunch

Dinner

Snack

Fitness

Mood

DAY PLANNER

Date: _____

M T W Th F Sa Su

To Do

Priorities

Enthusiastic for

Appointments

Breakfast	Lunch	Dinner	Snack

Fitness	Mood

DAY PLANNER

Date: _____

M T W Th F Sa Su

To Do

-
-
-
-
-
-
-
-
-
-
-
-
-
-

Priorities

Enthusiastic for

Appointments

-
-
-
-

Breakfast	Lunch	Dinner	Snack

Fitness	Mood

DAY PLANNER

Date: _____

M T W Th F Sa Su

To Do

-
-
-
-
-
-
-
-
-
-
-
-
-

Priorities

Enthusiastic for

Appointments

-
-
-
-

Breakfast

Lunch

Dinner

Snack

Fitness

Mood

DAY PLANNER

Date: _____

M T W Th F Sa Su

To Do

- _____
- _____
- _____
- _____
- _____
- _____
- _____
- _____
- _____
- _____
- _____
- _____
- _____

Priorities

Enthusiastic for

Appointments

- _____
- _____
- _____
- _____

Breakfast	Lunch	Dinner	Snack

Fitness	Mood

DAY PLANNER

Date: _____

M T W Th F Sa Su

To Do

-
-
-
-
-
-
-
-
-
-
-
-
-
-

Priorities

Enthusiastic for

Appointments

-
-
-
-

Breakfast	Lunch	Dinner	Snack

Fitness	Mood

DAY PLANNER

Date: _____

M T W Th F Sa Su

To Do

-
-
-
-
-
-
-
-
-
-
-
-
-

Priorities

Enthusiastic for

Appointments

-
-
-
-

Breakfast

Lunch

Dinner

Snack

Fitness

Mood

DAY PLANNER

Date: _____

M T W Th F Sa Su

To Do

- [ ] _____
- [ ] _____
- [ ] _____
- [ ] _____
- [ ] _____
- [ ] _____
- [ ] _____
- [ ] _____
- [ ] _____
- [ ] _____
- [ ] _____
- [ ] _____
- [ ] _____
- [ ] _____

Priorities

Enthusiastic for

Appointments

- [ ] _____
- [ ] _____
- [ ] _____
- [ ] _____
- [ ] _____

Breakfast	Lunch	Dinner	Snack

Fitness	Mood

DAY PLANNER

Date: _____

M T W Th F Sa Su

To Do

- _____
- _____
- _____
- _____
- _____
- _____
- _____
- _____
- _____
- _____
- _____
- _____
- _____
- _____

Priorities

Enthusiastic for

Appointments

- _____
- _____
- _____
- _____
- _____

Breakfast	Lunch	Dinner	Snack

Fitness	Mood

DAY PLANNER

Date: _____

M T W Th F Sa Su

To Do

Priorities

Enthusiastic for

Appointments

Breakfast

Lunch

Dinner

Snack

Fitness

Mood

DAY PLANNER

Date: _____

M T W Th F Sa Su

To Do

Priorities

Enthusiastic for

Appointments

Breakfast	Lunch	Dinner	Snack

Fitness	Mood

DAY PLANNER

Date: _____

M T W Th F Sa Su

To Do

Priorities

Enthusiastic for

Appointments

Breakfast	Lunch	Dinner	Snack

Fitness	Mood

DAY PLANNER

Date: _____

M T W Th F Sa Su

To Do

Priorities

Enthusiastic for

Appointments

Breakfast

Lunch

Dinner

Snack

Fitness

Mood

DAY PLANNER

Date: _____

M   T   W   Th   F   Sa   Su

To Do

Priorities

Enthusiastic for

Appointments

Breakfast

Lunch

Dinner

Snack

Fitness

Mood

DAY PLANNER

Date: _____

M T W Th F Sa Su

To Do

-
-
-
-
-
-
-
-
-
-
-
-
-
-

Priorities

Enthusiastic for

Appointments

-
-
-
-

Breakfast

Lunch

Dinner

Snack

Fitness

Mood

DAY PLANNER

Date: _____

M T W Th F Sa Su

To Do

-
-
-
-
-
-
-
-
-
-
-
-
-
-
-

Priorities

Enthusiastic for

Appointments

-
-
-
-

Breakfast

Lunch

Dinner

Snack

Fitness

Mood

DAY PLANNER

Date: _____

M T W Th F Sa Su

To Do

- _____
- _____
- _____
- _____
- _____
- _____
- _____
- _____
- _____
- _____
- _____
- _____
- _____
- _____

Priorities

Enthusiastic for

Appointments

- _____
- _____
- _____
- _____

Breakfast

Lunch

Dinner

Snack

Fitness

Mood

DAY PLANNER

Date: _____

M T W Th F Sa Su

To Do

Priorities

Enthusiastic for

Appointments

Breakfast

Lunch

Dinner

Snack

Fitness

Mood

DAY PLANNER

Date: _____

M T W Th F Sa Su

To Do

Priorities

Enthusiastic for

Appointments

Breakfast	Lunch	Dinner	Snack

Fitness	Mood

DAY PLANNER

Date: _____

M T W Th F Sa Su

To Do

Priorities

Enthusiastic for

Appointments

Breakfast

Lunch

Dinner

Snack

Fitness

Mood

DAY PLANNER

Date: _____

M T W Th F Sa Su

To Do

☐ _____
☐ _____
☐ _____
☐ _____
☐ _____
☐ _____
☐ _____
☐ _____
☐ _____

Priorities

Enthusiastic for

Appointments

☐ _____
☐ _____
☐ _____
☐ _____

Breakfast	Lunch	Dinner	Snack

Fitness	Mood

DAY PLANNER

Date: _____

M T W Th F Sa Su

To Do

☐ _____
☐ _____
☐ _____
☐ _____
☐ _____
☐ _____
☐ _____
☐ _____
☐ _____
☐ _____
☐ _____
☐ _____
☐ _____
☐ _____

Priorities

Enthusiastic for

Appointments

☐ _____
☐ _____
☐ _____
☐ _____

Breakfast	Lunch	Dinner	Snack

Fitness

Mood

DAY PLANNER

Date: _____

M T W Th F Sa Su

To Do

Priorities

Enthusiastic for

Appointments

Breakfast

Lunch

Dinner

Snack

Fitness

Mood

DAY PLANNER

Date: _____

M T W Th F Sa Su

To Do

-
-
-
-
-
-
-
-
-
-
-
-
-

Priorities

Enthusiastic for

Appointments

-
-
-
-

Breakfast	Lunch	Dinner	Snack

Fitness	Mood

DAY PLANNER

Date: _____

M T W Th F Sa Su

To Do

-
-
-
-
-
-
-
-
-
-
-
-
-

Priorities

Enthusiastic for

Appointments

-
-
-
-
-

Breakfast	Lunch	Dinner	Snack

Fitness	Mood

DAY PLANNER

Date: _____

M T W Th F Sa Su

To Do

-
-
-
-
-
-
-
-
-
-
-
-
-

Priorities

Enthusiastic for

Appointments

-
-
-
-

Breakfast	Lunch	Dinner	Snack

Fitness	Mood

DAY PLANNER

Date: _____

M T W Th F Sa Su

To Do

Priorities

Enthusiastic for

Appointments

Breakfast	Lunch	Dinner	Snack

Fitness	Mood

DAY PLANNER

Date: _____

M T W Th F Sa Su

To Do

Priorities

Enthusiastic for

Appointments

Breakfast

Lunch

Dinner

Snack

Fitness

Mood

DAY PLANNER

Date: _____

M T W Th F Sa Su

To Do

- [ ] _____
- [ ] _____
- [ ] _____
- [ ] _____
- [ ] _____
- [ ] _____
- [ ] _____
- [ ] _____
- [ ] _____
- [ ] _____
- [ ] _____
- [ ] _____
- [ ] _____

Priorities

Enthusiastic for

Appointments

- [ ] _____
- [ ] _____
- [ ] _____
- [ ] _____

Breakfast

Lunch

Dinner

Snack

Fitness

Mood

DAY PLANNER

Date: _____

M T W Th F Sa Su

To Do

- _____
- _____
- _____
- _____
- _____
- _____
- _____
- _____
- _____
- _____
- _____
- _____
- _____

Priorities

Enthusiastic for

Appointments

- _____
- _____
- _____
- _____
- _____

Breakfast	Lunch	Dinner	Snack

Fitness	Mood

DAY PLANNER

Date: _____

M T W Th F Sa Su

To Do

Priorities

Enthusiastic for

Appointments

Breakfast	Lunch	Dinner	Snack

Fitness	Mood

DAY PLANNER

Date: _____

M T W Th F Sa Su

To Do

- [ ] _____
- [ ] _____
- [ ] _____
- [ ] _____
- [ ] _____
- [ ] _____
- [ ] _____
- [ ] _____
- [ ] _____
- [ ] _____
- [ ] _____
- [ ] _____
- [ ] _____
- [ ] _____

Priorities

Enthusiastic for

Appointments

- [ ] _____
- [ ] _____
- [ ] _____
- [ ] _____

Breakfast

Lunch

Dinner

Snack

Fitness

Mood

DAY PLANNER

Date: _____

M T W Th F Sa Su

To Do

- _____
- _____
- _____
- _____
- _____
- _____
- _____
- _____
- _____
- _____
- _____
- _____
- _____
- _____

Priorities

Enthusiastic for

Appointments

- _____
- _____
- _____
- _____

Breakfast	Lunch	Dinner	Snack

Fitness	Mood

DAY PLANNER

Date: _____

(M) (T) (W) (Th) (F) (Sa) (Su)

To Do

- ☐ ....
- ☐ ....
- ☐ ....
- ☐ ....
- ☐ ....
- ☐ ....
- ☐ ....
- ☐ ....
- ☐ ....
- ☐ ....
- ☐ ....
- ☐ ....
- ☐ ....
- ☐ ....

Priorities

Enthusiastic for

Appointments

- ☐ ....
- ☐ ....
- ☐ ....
- ☐ ....

Breakfast	Lunch	Dinner	Snack

Fitness

Mood

DAY PLANNER

Date: _____

M T W Th F Sa Su

To Do

-
-
-
-
-
-
-
-
-
-
-
-
-

Priorities

Enthusiastic for

Appointments

-
-
-
-

Breakfast

Lunch

Dinner

Snack

Fitness

Mood

DAY PLANNER

Date: _____

M T W Th F Sa Su

To Do

- [ ] _____
- [ ] _____
- [ ] _____
- [ ] _____
- [ ] _____
- [ ] _____
- [ ] _____
- [ ] _____
- [ ] _____
- [ ] _____
- [ ] _____
- [ ] _____
- [ ] _____
- [ ] _____

Priorities

Enthusiastic for

Appointments

- [ ] _____
- [ ] _____
- [ ] _____
- [ ] _____
- [ ] _____

Breakfast

Lunch

Dinner

Snack

Fitness

Mood

DAY PLANNER

Date: _____

M T W Th F Sa Su

To Do

-
-
-
-
-
-
-
-
-
-
-
-
-

Priorities

Enthusiastic for

Appointments

-
-
-
-

Breakfast	Lunch	Dinner	Snack

Fitness	Mood

DAY PLANNER

Date: _____

M T W Th F Sa Su

To Do

☐ _____
☐ _____
☐ _____
☐ _____
☐ _____
☐ _____
☐ _____
☐ _____
☐ _____
☐ _____
☐ _____
☐ _____
☐ _____
☐ _____

Priorities

Enthusiastic for

Appointments

☐ _____
☐ _____
☐ _____
☐ _____

Breakfast	Lunch	Dinner	Snack

Fitness	Mood

DAY PLANNER

Date: _____

M T W Th F Sa Su

To Do

- [ ] _____
- [ ] _____
- [ ] _____
- [ ] _____
- [ ] _____
- [ ] _____
- [ ] _____
- [ ] _____
- [ ] _____
- [ ] _____
- [ ] _____
- [ ] _____
- [ ] _____
- [ ] _____

Priorities

Enthusiastic for

Appointments

- [ ] _____
- [ ] _____
- [ ] _____
- [ ] _____

Breakfast	Lunch	Dinner	Snack

Fitness	Mood

DAY PLANNER

Date: _____

M T W Th F Sa Su

To Do

-
-
-
-
-
-
-
-
-
-
-
-
-

Priorities

Enthusiastic for

Appointments

-
-
-
-

Breakfast

Lunch

Dinner

Snack

Fitness

Mood

DAY PLANNER

Date: _____

M T W Th F Sa Su

To Do

Priorities

Enthusiastic for

Appointments

Breakfast

Lunch

Dinner

Snack

Fitness

Mood

DAY PLANNER

Date: _____

M T W Th F Sa Su

To Do

☐ _____
☐ _____
☐ _____
☐ _____
☐ _____
☐ _____
☐ _____
☐ _____
☐ _____
☐ _____
☐ _____
☐ _____
☐ _____

Priorities

Enthusiastic for

Appointments

☐ _____
☐ _____
☐ _____
☐ _____

Breakfast

Lunch

Dinner

Snack

Fitness

Mood

DAY PLANNER

Date: _____

M T W Th F Sa Su

To Do

- _____
- _____
- _____
- _____
- _____
- _____
- _____
- _____
- _____
- _____
- _____
- _____
- _____
- _____

Priorities

Enthusiastic for

Appointments

- _____
- _____
- _____
- _____
- _____

Breakfast	Lunch	Dinner	Snack

Fitness	Mood

DAY PLANNER

Date: _____

M T W Th F Sa Su

To Do

- _____
- _____
- _____
- _____
- _____
- _____
- _____
- _____
- _____
- _____
- _____
- _____
- _____
- _____

Priorities

Enthusiastic for

Appointments

- _____
- _____
- _____
- _____

Breakfast

Lunch

Dinner

Snack

Fitness

Mood

DAY PLANNER

Date: _____

M T W Th F Sa Su

To Do

Priorities

Enthusiastic for

Appointments

Breakfast

Lunch

Dinner

Snack

Fitness

Mood

DAY PLANNER

Date: _____

M T W Th F Sa Su

To Do

-
-
-
-
-
-
-
-
-
-
-
-
-

Priorities

Enthusiastic for

Appointments

-
-
-
-

Breakfast

Lunch

Dinner

Snack

Fitness

Mood

DAY PLANNER

Date: _____

M T W Th F Sa Su

To Do

Priorities

Enthusiastic for

Appointments

Breakfast

Lunch

Dinner

Snack

Fitness

Mood

DAY PLANNER

Date: _____

M T W Th F Sa Su

To Do

- _____
- _____
- _____
- _____
- _____
- _____
- _____
- _____
- _____
- _____
- _____
- _____
- _____

Priorities

Enthusiastic for

Appointments

- _____
- _____
- _____
- _____

Breakfast	Lunch	Dinner	Snack

Fitness	Mood

DAY PLANNER

Date: _____

(M) (T) (W) (Th) (F) (Sa) (Su)

To Do

☐ _____
☐ _____
☐ _____
☐ _____
☐ _____
☐ _____
☐ _____
☐ _____
☐ _____
☐ _____
☐ _____
☐ _____
☐ _____
☐ _____

Priorities

Enthusiastic for

Appointments

☐ _____
☐ _____
☐ _____
☐ _____

Breakfast	Lunch	Dinner	Snack

Fitness	Mood

DAY PLANNER

Date: _____

M T W Th F Sa Su

To Do

- _____
- _____
- _____
- _____
- _____
- _____
- _____
- _____
- _____
- _____
- _____
- _____
- _____

Priorities

Enthusiastic for

Appointments

- _____
- _____
- _____
- _____

Breakfast	Lunch	Dinner	Snack

Fitness	Mood

DAY PLANNER

Date: _____

M T W Th F Sa Su

To Do

Priorities

Enthusiastic for

Appointments

Breakfast

Lunch

Dinner

Snack

Fitness

Mood

DAY PLANNER

Date: _____

M T W Th F Sa Su

To Do

Priorities

Enthusiastic for

Appointments

Breakfast

Lunch

Dinner

Snack

Fitness

Mood

DAY PLANNER

Date: _____

M   T   W   Th   F   Sa   Su

To Do

- _____
- _____
- _____
- _____
- _____
- _____
- _____
- _____
- _____
- _____
- _____
- _____
- _____
- _____
- _____

Priorities

Enthusiastic for

Appointments

- _____
- _____
- _____
- _____
- _____

Breakfast

Lunch

Dinner

Snack

Fitness

Mood